5

히카루가 죽은 여름

모쿠모쿠렌

제 22 화

목차

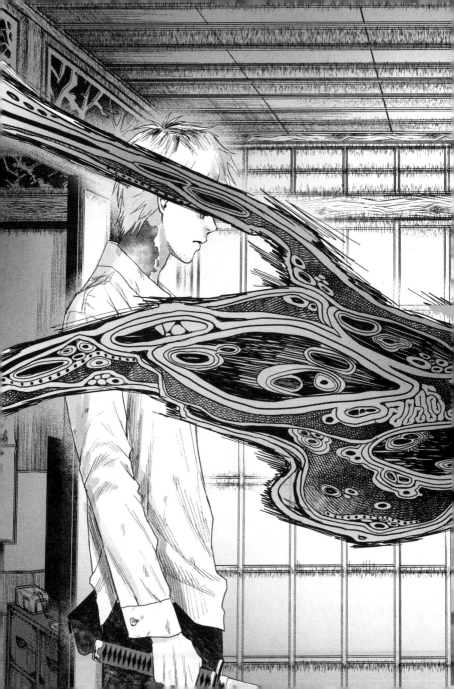

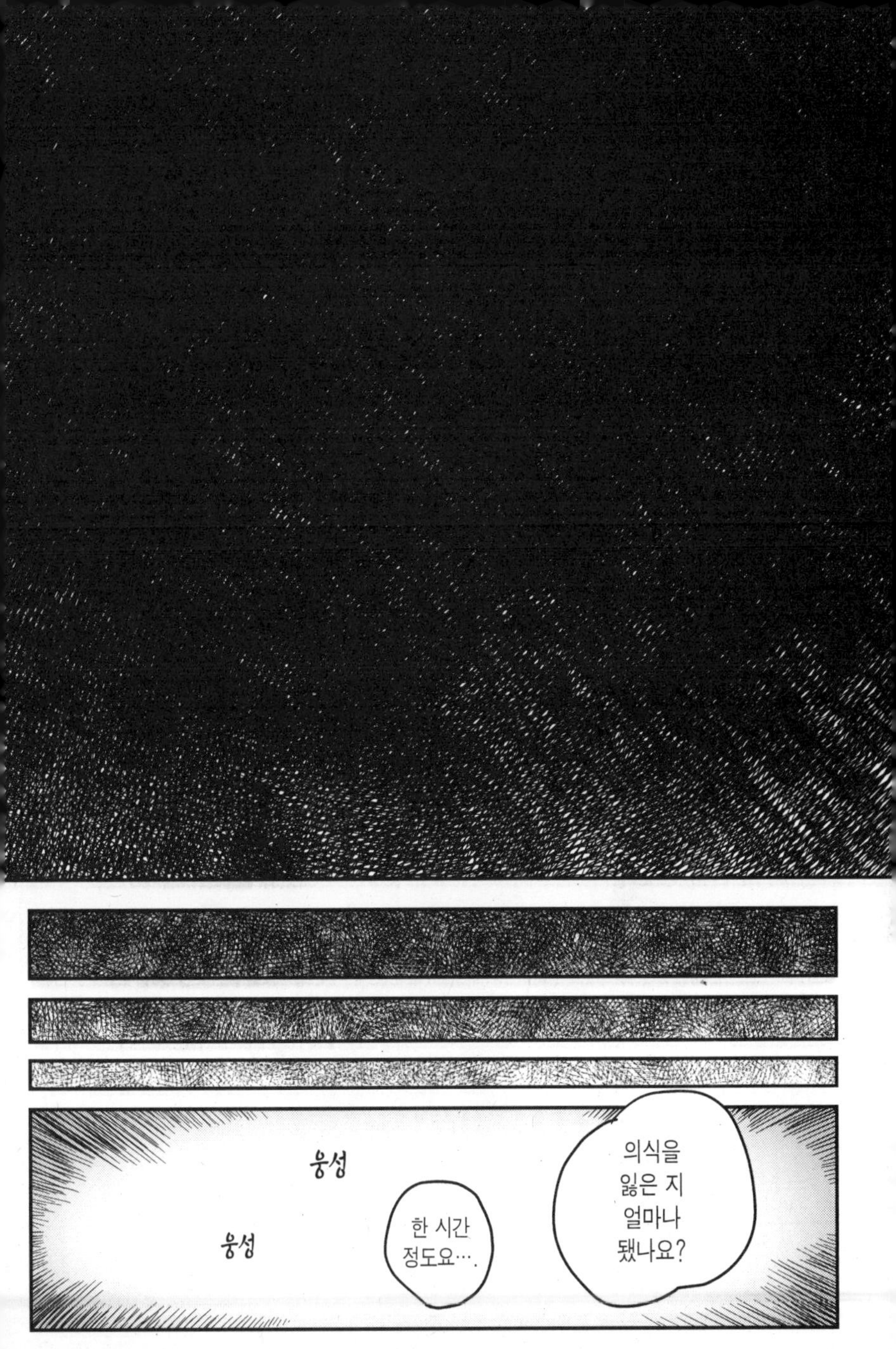

웅성

웅성

한 시간
정도요….

의식을
잃은 지
얼마나
됐나요?

타케다 씨네
댁에는
왜 갔던
거야…?!

요시키…!
괜찮니?!

으아아!

하숙 중인
연구자?가
말려 줬다던데….

타케다네
영감님이
난동을 부려서
너희 둘이
넘어졌다는 게
정말이니?!

엄마….

또 부정함이 습격해 왔다간…!

노우누키 님의 대처는?!

저는 잠시 마을을 벗어날 거니까

잘 부탁 드립니다.

뭐라?! 마!

에잇!

그 칼로 싸워 주세요! 타케다 씨, 검도 6단 이잖아요?

부재중 전화 사토

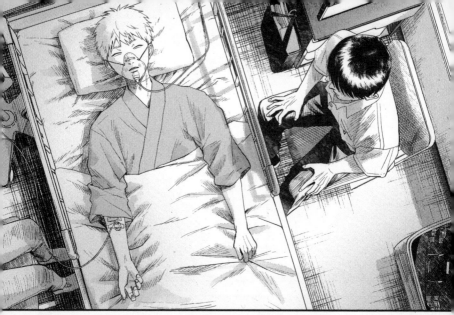

검사 결과에는
이상 없었제?

히카루,
눈 못 뜬지
얼마나 됐노?

결국…
쿠레바야시 씨도
그 남자에 관해서는
짚이는 게
없는 거죠?

벌써 이틀
지났어요.

아마…
시간이 걸리는 거겠죠.
치명적인 대미지를
입었을 때는.

인간이 할 수 있는 거라고는 물리적으로 마을에서 데꼬 나가든지…

많이 약해졌대도 인간이 어째 할 수 있는 수준이 아이다.

얘가 인간한테 뭘 할 수는 있는가는 다른 이야기지만….

가둬 두는 정도?

항상 경계하고, 위험하다 싶으면 바로 우리 집으로 온나.

아줌마도 그 남자를 조사해 볼게.

그런가요….

조사한다니… 어떻게요?

『이 터널은 유명한 심령 스폿으로,』

『Y튜버였던 남성은 ○일 아침 SNS에,』

『다루마즈카에 다녀올 것이며 살아 돌아오면 동영상을 올리겠다고 투고를…』

옆 환자가 보는 텔레비전 소리 크네….

유명한 곳이지만… 이유는 전혀 몰라요.

그기 아나? 다루마즈카 터널이 어쩌다 심령 스폿이 됐는지.

그것도 오래된 뼈가, 어마어마하게.

옛날에 거기서 있제, 뼈가 발견됐다.

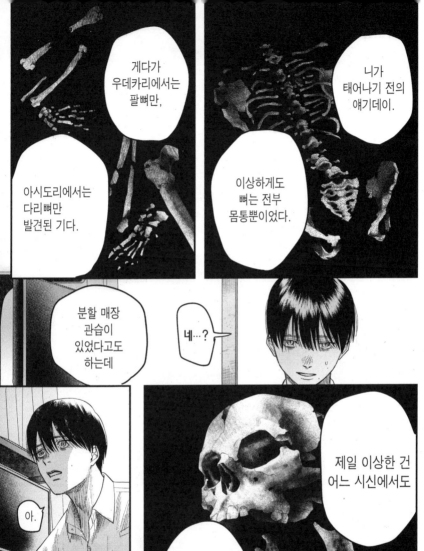

게다가
우데카리에서는
팔뼈만,

니가
태어나기 전의
얘기데이.

아시도리에서는
다리뼈만
발견된 기다.

이상하게도
뼈는 전부
몸통뿐이었다.

분할 매장
관습이
있었다고도
하는데

네…?

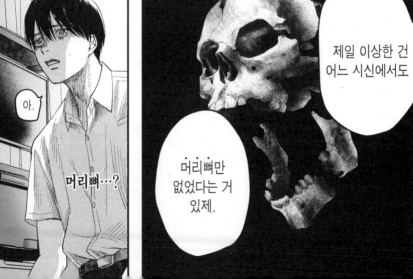

아.

머리뼈…?

제일 이상한 건
어느 시신에서도

머리뼈만
없었다는 거
있제.

「안도우이 치」
「무형한 공물을
바치면 소원을
들어주는 신.」

목?

쓰와누기 님을
통해 본
안도우 가의
조상님…?

히카루에게
삼켜졌을 때
본 남자.
자세히 보면
히카루랑 닮지
않았나?

목 위쪽이
이상한 녀석들
뿐이었지.

그러고 보니
내가 봤던
괴물들도 전부

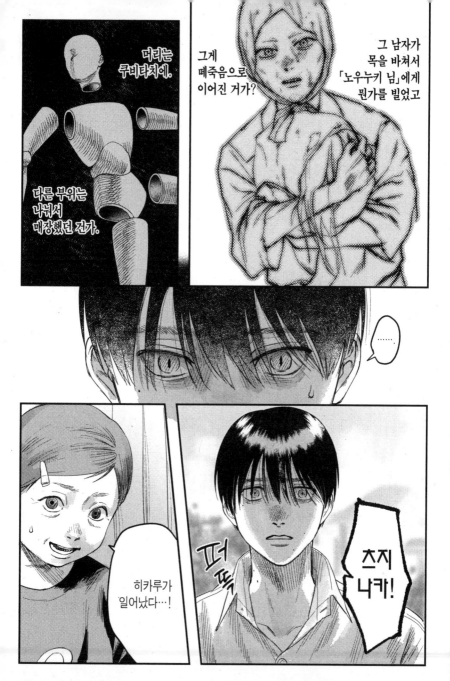

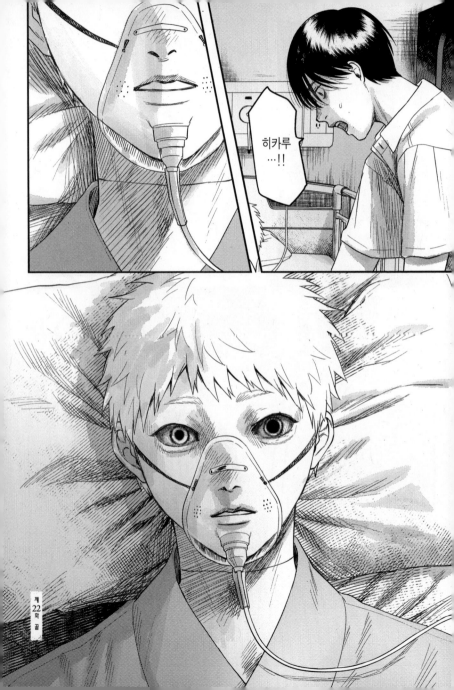

만약 목이 붙지 않고
말했다면

한번
커신의 집에서
일해보까?

이쯤 되니 이제…
여러모로 안 놀라게
됐습니다

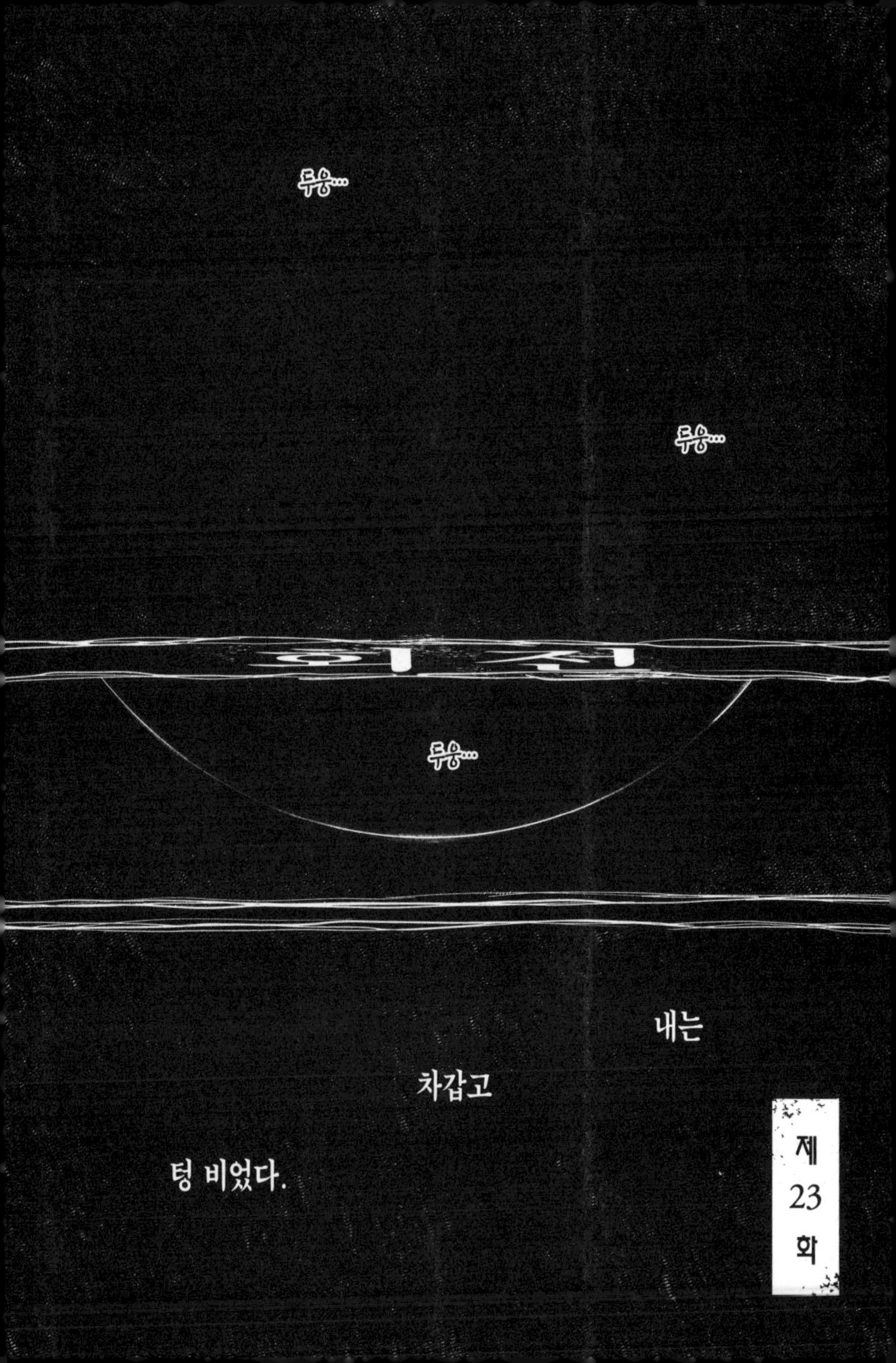

두웅…

두웅…

두웅…

내는

차갑고

텅 비었다.

제
23
화

그래서
잔뜩 넣고
싶다.

내 안에
집어넣는 거다.

그러면
채워지니까.

그것이

내가
해야 할 일.

......

차갑다.
춥다….

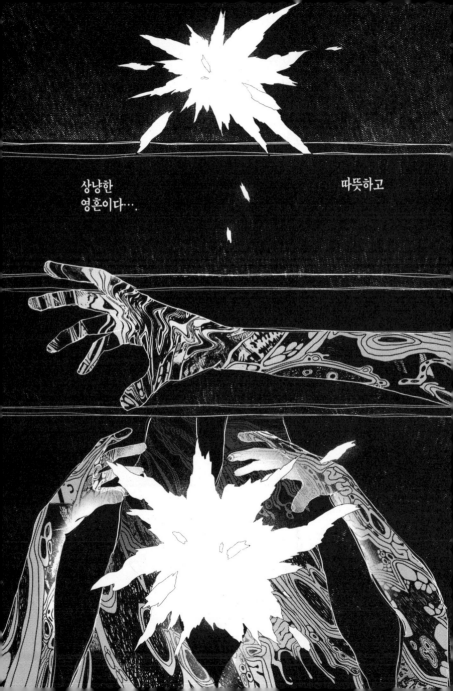

......

히카루?

애가!!!!!!!!!!!!!!!

헉!

…학생.

자기 이름
말할 수
있겠나?

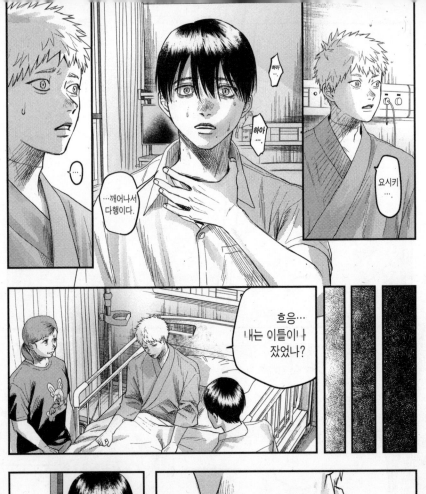

…하아
…

…하아
…

…깨어나서
다행이다.

…

요시키
…

흐응…
내는 이틀이나
잤었나?

니,
통각 없는 거
아니었나…?

아프네
…

하지만…
안 돼.
나도 정이
들어 버려서….

역시
이 애는
위험해.

웅성

웅성

웅성

「히카루가
없으니까
재미없다~」라고
열 번쯤
말했거든.

뭐?

진짜로
다행이다~.

안 했거든!

의외로
마키가 제일
걱정했디.
귀엽제?

근데 닌
아까부터
뭐 적는데?

노우누키 님
→ 사람의 목을 받고
소원을 들어준다?

옛날에 이 주변은 어째선지 역병, 흉작, 사고가 많아서 고생했다드라.

그런데도 그럭저럭 잘 살았던 건

수은을 캘 수 있어서 그랬다던데,

그걸 위해 수은을 써서 만든 게

이 토지만의 「낙태약」인데,

하지만 해마다 채굴량이 줄어들어서…

생활고 때문에 아이를 중절해야 했다드라.

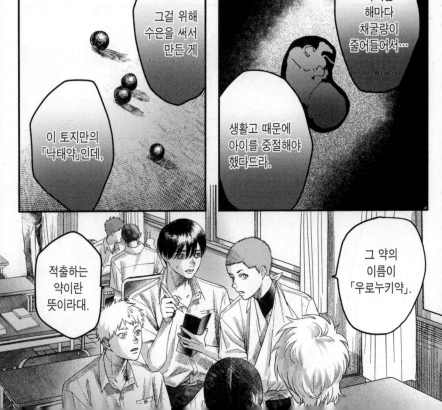

적출하는 약이란 뜻이라대.

그 약의 이름이 「우로누키약」.

어, 그래서…

은어로 표현하기 시작했고

그걸 사용해 낙태하는 걸 「산의 「우누키 씨」에게 돌려보낸다」라는

산에서 캔 수은으로 만든 약이니까

그 이후로는 신기하게도 역병 같은 게 잠잠해졌다드라.

머지않아 산의 신으로 모시게 됐는데

…

수은… 금족지인 ※니사(丹砂)산의 이름은 거기서 유래한 거구나.

※니사(丹砂) : 단사. 수은으로 이루어진 붉은 광물.

예를 들면, 누군가랑 바꿔치기 했다든가.

진짜로 근처에 있다면 어쩔 건데?

...어?

산으로 돌아가라!! 하고 돌려보낼 끼다.

그러믄 바로 눈치챘겠지!

뭣.

생각해 보면 무섭네….

하지만 그런 얘기는 대체로 마지막에 정체가 탄로 나가지고 결국 원래 있던 곳으로 돌아가지 않나?

으음….

형은 변함없이 답장이 빠르네.

말겨줘

12:42

오, 왔다!

어디 보자.

「마을이 나뉘었을 무렵 (1700년경)에 우누키 씨 신앙은 이미 사라진 상태였다」.

「그러나 어째선지 영지에서는 『이 지역에 개입하면 화를·입는다』라는 소문이 돌았다」.

「그 종교가 정착해서 지금도 키보우가야마에는 교회가 많다」.

「그다지 외부 개입이 없었기에, 탄압받아 도망친 다른 종교의 신도들이 자리를 잡았다」.

라고 하네.

그렇다
는데?

아아…
응응.

정말로
그랬을까?

신앙이
사라졌다고?

이런 게
궁금하다니,
혹시 니도
오컬트 마니아였나?!

우
로
누
키

우
누
키

노
우
누
키

호칭이
달라지는 건
흔한 일이지.

가령
이런 변화가
있었다고
치고….

사라진 게 아니라
「변해버린」 건
아이가?

하지만
「우누키 씨」에게는
목을 바치지
않았어.

어딘가에서
「노우누키 님」
신앙으로 바뀌
며 목을 바치기
시작했다?

마을이 나뉜 것도 아마 그 신앙과 관련이 있을 거다.

그리고 남몰래 신앙은 계속되었다….

「노우누키 님」은 점차 잊혀졌다고 하면….

의지할 신을 잃은 마을 사람들 앞에 새로운 종교가 나타나 정착…

하지만 칸엔 2년의 떼죽음으로 노우누키 님은 「재앙신」이 됐고

그렇다면 어째서 쿠비타치에만 여전히 「노우누키 님」 신앙이 남아 있지?

언 옛날 마을이 생김
↓
「우누키 씨」 신앙이 시작됨
↓
「노우누키 님」 신앙으로 변화
↓
1700년경 마을이 나뉨
↓
1749년(칸엔 2년) 떼죽음
「노우누키 님」 신앙 종료
↓
다른 종교가 정착

하지만 쿠비타치에서는 「노우누키 님」
신앙이 이어짐

가설이지만,
이걸 알아봤자,
뭘 어떻게…

있제,
요시키~.

고요

…어디까지
얘기했더라?

다들
벌써
집에 갔다.

인도우 사람만 옛날 호칭으로 부르는 건가?

그럼 우누키 씨＝노우누키 님은 맞는 것 같네.

그러고 보니 아빠랑 할아버지도 그렇게 불렀지….

대충…

내는 원래 「우누키 씨」였다는 거.

선글라스 아재는 얼마나 알고 있을까.

낸 바보라서 잘 모르겠는데에.

그보다 그 아재, 그러고는 안 보이네.

데굴 데굴…

인도우 가문의 비밀이 거기 있을 것 같다.

「사당」을 조사하자.

그 사람이 움직이기 전에 타케다 할아버지가 말했던

아무런
이변도
없을 리
없겠지…

욱신…

욱신
욱신 욱신

욱신 욱신… 욱신…
욱신

제
24
화

이리와

…아아,
난 지금까지
「히카루의 모습」에
상당히 도움을
받았구나.

죽는…

무섭다

부들

부들

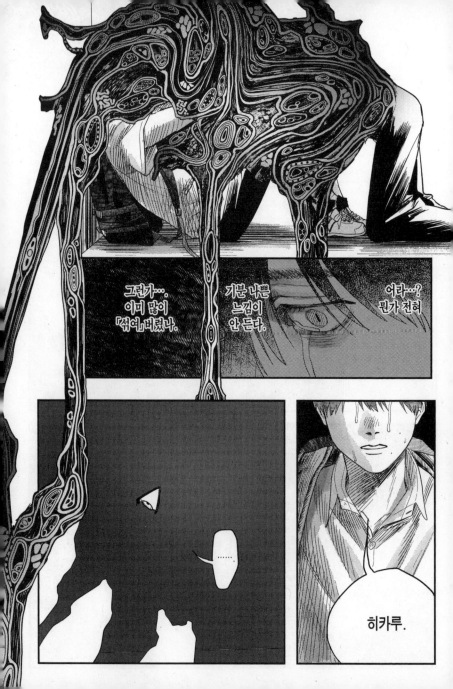

귀뚤귀뚤

개굴개굴개굴개굴개굴개굴

개굴개굴개굴개굴개굴개굴개굴개굴개굴개굴개굴개굴

귀뚤귀뚤

개굴개굴개굴개굴개굴개굴개굴개굴개굴개굴개굴개굴개굴개굴개굴

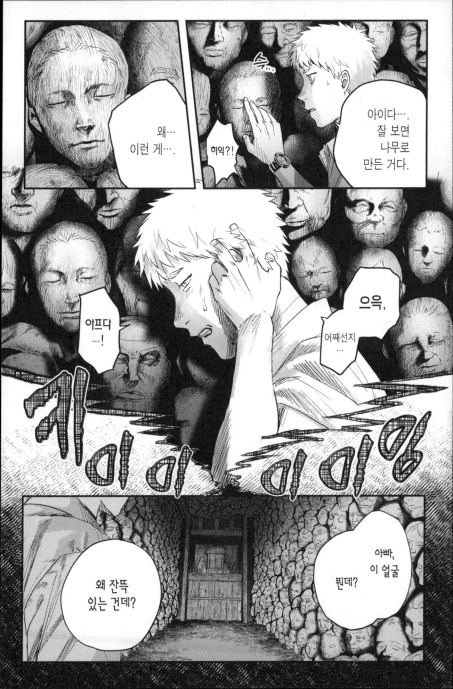

......

...니,

여기에
「히치 씨」가
있었는데.

역시
없네….

뭔가
생각난 거가?

...어.

내는 소원을 들어주는 데 목 같은 거 필요 없는데.

어째서지?

그러니 숨겨왔겠지….

…하하.

…그러면, 여긴 살인자 마을이었단 거가.

안 떠오른다…. 그 기억은 아직 안개처럼 뿌옇네.

그래서, 인도우의 죄라는 건…?

…히카루네 아빠랑 친해서 이것저것 알 것 같은 사람이….

있기는…
한데….

그럼
교가를
제창하겠
습니다.

우뚝
솟은
천반산―

푸른~
산줄기에~

솔직히 말해서
오히려 이쪽이
와닿는다고 할지….

하지만 뭔가
납득이 간다.

내한텐
많은 사람의
목숨이 바쳐진
모양이다.

화장실
갔었다고 하면
봐준다고.

...방학식을
땡땡이치고,
잔꾀부리네~.

내일부터
여름 방학
이네.

내는
첫 주에
다 끝낸다.

유우키는
늘 마지막 날에
울면서 하지만.

그러게.

숙제,
할 거가?

내가 있어서
아무도 이렇게
슬퍼하지
않는다.

원래라면
히카루는
이렇게 모두가
슬퍼하며
보내 줬어야
했던 거다.

아아,
그런가.

미안.

만약 내가 없었다면
요시키는 모두와 함께
슬퍼하고 지금보다
덜 괴로웠을지도
모른다.

히카루가
바란 대로긴
하지만,

즐겁게
보낼 수
있었을까…

제대로
대학
진학에
대해서도
생각하고

그 이후에는
다 같이
앞을 보고

…있제.

야.

비 올 것 같은데. 빨리 가자.

이제 와서 그런 걸 물어본다고?

히카루는 어떤 녀석 이었는데?

누구에게나
쉽게 말을
걸었다.

달리기가
빠르고,
공부는
못하고.

하지만
후배에게는
사랑받았다.

존댓말을
못 써서
선배들과는
사이가 나빴다.

대체로
그 여학생은
다른 녀석과
사귀게 되었다.

히카루는
언제
고백받을까
설레는
마음으로
기다렸지만

히카루를
좋아하는
여자애가
있다는
소문이
날 때면

마스터
마스터에
나오는
「린쌍」과
닮았으니까.

죽기 전에는
B반의
사이토에게
관심을 보였지.

밥은
먹을 수만
있다면
뭐든 좋다는
식이었다.

영화를
보러 가면
대체로 잤고

늘 강했다.
나처럼
고민하지
않았고.

히카루는
울지
않는다.

우는 모습을
본 적이 없다.

사실은
울고 싶었던
걸까.

…만나고
싶지,
그야.

만나고
싶나?
히카루를.

뭐?

미안,
요시키.
먼저
가래이.

글나
…

왜?

별거
아이다!
내도 금방
갈게!

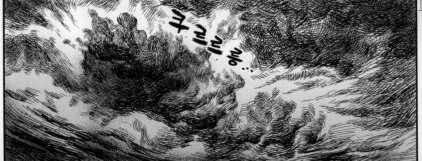

쿠르르릉…

쏴

내가 먼저
말 거는 건
몇 년 만이지.

하아ー

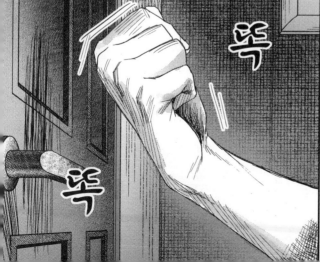

똑

똑

하지만
인도우 가문에 대해
알 것 같은 사람은
이제 이 사람
정도다.

딩—동

누구지?
이래
비 많이
오는데.

지반이
약해
졌다는
지적이
...

철
컥

네,
나가요.

히카루가 반절이 된 상태가 아니었다면
아마 요시키는 죽었을 겁니다

수백 인간이 되어 버릴 끼다.

히카루가 울 때,
대체로
요시키가 그보다
더 심하게
울었기에
잘 기억하지
못한다

아니,
잘 생각해
보니까
어릴 때는
히카루도
가끔 울었지
않나...?

민간 설화「농민의 목」

욕심쟁이 농민은 산에서 큰 버섯을 찾았어요.

옛날 옛날에, 욕심쟁이 농민과 착한 농민이 나물을 캐러 산에 갔어요.

산에 있던 구멍에 머리를 넣었어요. 그러자…

"이건 내 거야." 욕심쟁이 농민은 버섯을 숨기려고

착한 농민은 겁을 먹고 허겁지겁 마을로 돌아왔어요.

머리만 구멍에 뚝 떨어졌 답니다.

많은 쌀과 먹을 것이 한가득 들어 있었어요.

그러자 어느새 바구니 안에…

제
25
화

「그렇게 착한 농민은 행복하게 살았답니다.」

「배를 채운 신님이 상을 준 것이었죠.」

「그 구멍은 배고픈 신의 입이었기에」

이게 무슨 이야긴데…?

아빠도 잘 모르겠네.

그렇나.

…그냥, 별일 없다.

쏴

…요즘 학교는 어떻노?

있잖아.

히가루네 아빠에 관해 묻고 싶은데.

뭐… 고민거리 라도….

대체 무슨 「죄」를 지은 건데…?

인도우 가문은 옛날에 무슨 짓을 한 건데?

뭐를….

어….

마음대로 읽어도 된다.

…아빠.

책, 잔뜩 가지고 있제?

…응.

…고마워.

엄마. 오빠가 아빠랑 얘기하고 있다.

저세상 것으로부터 간섭받았을 때

영혼에 저세상 것의 요소가 섞여 버리는 사람이 가끔 있거든.

그래 되면 그 사람의 「저쪽과의 경계선」이 애매해져서…

섞인 것?

부정함이 엄청 잘 다가오게 된데이.

손이 닿으니까 접근하고 싶어지는 거겠지.

이 이상 섞이면

요시키가 위험하나?

예전에 내는 그런 아들을 지킬라고 필사적이었지….

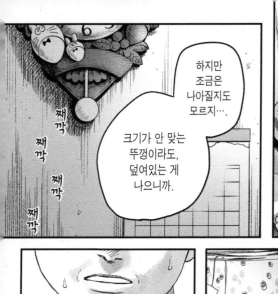

짹깍
짹깍
짹깍
짹깍

하지만 조금은 나아질지도 모르지….

크기가 안 맞는 뚜껑이라도, 덮여있는 게 나으니까.

그건… 알 수 없데이.

다른 방법도….

하지만 근본적인 해결이 되는 건 아니니까…

인도우 가문이
저지른 죄란…

「가족을 제외한
마을 사람들을
희생해서
애내를
되살린」것.

그 결과
떼죽음이
일어났어.

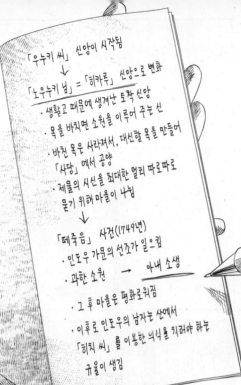

「우누키 씨」 신앙이 시작됨
↓
「노우누키 님」=「히카루」 신앙으로 변화
· 생활고 때문에 생겨난 토착 신앙
· 목을 바치면 소원을 이루어 주는 신
· 바친 목은 사라져서, 대신할 목을 만들어
「사당」에서 공양
· 제물의 시신을 최대한 멀리 따로따로
묻기 위해 마을이 나뉨
↓
「떼죽음」사건(1749년)
· 인도우 가문의 선조가 일으킴
· 과한 소원 → 아내 소생
· 그 후 마을은 평화로워짐
· 이후로 인도우의 남자는 산에서
「히치 씨」를 이용한 의식을 치러야 하는
규율이 생김

죽은 거랑
살아 있는 거랑
그래 다르냐?

떼죽음의 진상은
기근이 아니라
「기이한 죽음」….

분명 이 일로
노우누키 님이
「재앙신」이 됐다고
마을 사람들은
생각했을 거야.

펄럭…

에마누엘레
라파넬리.

르네상스기의 화가.

1520년 사망.

라파넬리 화집

→ 19,200円

화집…

여긴
러프 스케치
페이지인가.

…응?

펄럭…

그림
예쁘네….

「지옥의 스케치」
a sketch of gehenna - 1519

이건….

...

...훌쩍...

이 애는
이 세상에
태어난 지
분명 1년도
안 됐을 거야.

애한텐 너무
가혹한 일이다….
조금 더 이대로
있어도….

히카루….

나로선 이 애를
소멸시킬 수는 없어.
하지만…

「그 물러 터진
성격이
더 큰 불행을
부르는 거야….」

히카루의 아빠
인도우 코헤이

요시키는
친아빠보다 잘 따랐다.
아이가 올 때까지
같이 술래잡기하고,
붙잡히면 코딱지를 문혀서
요시키와 히카루는
필사적으로 도망쳤다.

요시키는
굳이 따지자면
엄마를 닮았습니다.
점이 많은 체질은
남매 모두 아빠로부터
유전되었습니다.

오늘은
이만
집으로
가렴….

제
26
화

조심히
들어가.

비옷…
감사합니다
….

철컥…

히카루의 집에는…
아무것도 모르는
가족이 있어.
분명 오늘도
저녁밥을 차려 놓고서
기다리고 있을 거야.

도저히
그런 짓은….

츠지나카와
히카루의 가족을
생각하면…

딩—동

영차.

딸이
돌아왔나?

……엇.

…
당신은…!

철
컥

네~.

그치만 카오루가 「제일 귀여운 거」를 사 오라고 했다고.

야.

튜브, 정말 그걸로 개안나?

원형이 아닌데.

카오루, 요즘 조금씩 학교에 가더니

같이 수영장 갈 친구가 생겼나 보네. 다행이다.

니가 공기 들어간 걸로 사니까 그렇지.

공기 빼서 접으면 될 낀데.

근데 왜 내가 튜브를 사러 쇼핑몰까지 가야 되는데?

완전 짐덩어리인데.

뭐든지..

어.

위험할 것 같다.

이 「부탁」…
정말
이루어진다면

가장 중요한
부정함을
처리할 방법을
모르겠네….

하아…

노우누키
님에 관해
알았어도

……

마,
됐다.

가면 갈수록
모르는 게
나온다.

그 스케치도
대체….

중얼중얼
중얼…

어~이.

찌르르
찌르르
찌르르
찌르르
찌르르
찌르르
찌르르
찌르르
찌르르
찌르르
찌르르
찌르르
찌르르
찌르르

아!

요시키,
이것
봐라.

...

멘치다!

역시
싫어하네.

댄스.

많이
익숙해졌네.

야.

하 하 하.

저 녀석 ....

의외로 힘도 세~.

츄~릉 없다고 저러네.

이런 데서 계속 생각해 봐야 별수 없다이가.

찌르르 찌르르 찌르르르 찌르르 찌르르 찌르

찌르르 찌르르 찌르르르 찌르르 찌르르 찌르르

지금 여름 방학 이잖아?

바다 보러 안 갈래?

한 번쯤 봐 두고 싶거든.

덜컹
덜컹

덜컹

덜컹

바다는 초등학생 때 이후로 처음이네.

키보우가야마역에서 탄쇼 노선을 타고 약 두 시간인가….

태평하기는….

우오오오!! 쩐다—!!

저 엉덩이처럼 생긴 건물은 뭔데?!

그리고 보니
내 있제,
얼마 전에…

하아, 이 얘기는 그만하고 딴 얘기 하자.

앞으로 한 시간은 더 가야 하고.

「섞인 것」….

저번에 니 방에 어째선지 아저씨 귀신이 빽빽이 들어차 있어서 웃었던 얘기 말고는….

딴 얘기 … 아무것도 없는데.

덜컹 덜컹

그거 진짜가?

덜컹 덜컹 덜컹

자
박

야.

바지
다
젖는다.

첨벙

첨벙

쏴——

내 있제.
사당에
들어갔을 때

히카루의 몸에
「들어왔을」 때
기억도
생각났다?

내는 히카루가 죽을 때 빌었던

「요시키를 외톨이로 만들고 싶지 않다」

「아무도 슬퍼하지 않았으면 좋겠다」

라는 소원을 이루어 줬더니 이렇게 됐다.

히카루가…

…그렇지만 미안타.

나,

산으로 돌아갈께다.

그 「소원」은, 아마 완전히는 못 이뤄주겠다.

이젠 딴 방법 어쩔 수 없다이가 없잖아. ….

참방

참방

이제 니를 히카루라고 생각 안 한다!

닌 히카루의 대체품이 아이다!!!

닌 지금 그냥 포기한 거잖아.

앞을 보라느니 뭐니 강요하지 마라….

새삼스럽게 ….

대체, 뭐가 해피엔딩 이고…!!

웃기지 말라고 …!!!!

요시키의 조금 싫은 부분

약간 사람을 깔보제,

그리고 내보다 키 큰 거 짜증 난다!

바보니?

니

뭐가! 허?

항상 제일 중요한 걸 안 가르쳐 주지,

비밀주의?

어쩌다 다쳤는데?

어?!

그냥....

(요란하게 넘어졌음)

얼굴에 딱 티가 나는데 말 안 하는 거,

결국 이쪽이 알아서 눈치채게 되잖아,

막 밖두 안 좋아하면서 말하지 않았나 (나중부터 말하지 않은 걸 철렀더니 좋아했음)

맛있다.

처음으로 단것을 줬을 때

그리고 뭔가 이론적 이네,

남을 논파하는 동영상을 보던데,

그리고 가끔 수염 나 있드라,

여러 가지로 부담 스럽지~

잔소리 많고 참견도 심하제,

툭하면 생각에 빠져서 혼자 앓제,

아!! 손 씻어라!

수염....

헤헤.

미안.

말하라고 해서 말한 건데~

니…
요즘 그림책이나
동화 같은 걸
자주 읽네.

아~
이거?

내랑은 다른 걸 아는 건 재미있다.

이해가 안 돼도 뭔가 재미있어.

…시끄럽다.

그래도 니 말처럼 인간 시점이긴 하지~. 그래서 좋다이가.

「가르쳐 줘야지」라고 생각했었지.

하지만… 나도 예전에는 히카루에게

내가 가르쳐주지 않으면.

인간의 가치관에
끼워 맞추려 했다.

그저 이 녀석이
미숙할 뿐이라고
생각하고…

오만한 건
내다.

히카루는
결국 인간이
아니니까…

아사코 일로
확실해졌지만

이 장면
재밌네!

하하
하하!

아직도 웃음 포인트는 모르겠네.

하하 하하!

취향에 따라 다르겠지!

인간은 맛있어요.

닭고기가 더 맛있답니다.

안 먹잖아.

속으로는 사람을 먹고 싶어 할지도 모르지만

하지만 이 괴물은 사람을 잡아먹지 않아도 된다는 걸 알았잖아.

이런 점이 좋다~ 싶드라.

이런 게 중요하다고 생각한데이.

맞다,
맞다.

그니까
인간에 대해
알고 싶다.

내는 왕녀가
괴물에 대해
좀 더
알아야 한다고
생각하는데.

뭐가
다르고
뭐가
같은지

괴물을
인간으로
만드는 게
아니라

제대로
알아야지.

내도,
니에 대해서
더 자세히
알아야겠지….

응.

질문 코너

Q 요시키 아빠의 행동은 요시키에게 어떤 영향을 줬나요?

―요시키의 부모는 자주 싸우는데, 매번 아빠는 제대로 대꾸하지 않으면서도
문을 거칠게 닫아 의사 표시를 합니다.
히카루의 아빠가 죽은 뒤로는 우울해하는 시간도 늘었습니다.
의사소통에 서툰 아빠를 보고 자란 요시키는 아빠를 존경하지 못하고,
해마다 아빠를 닮아 가는 자신에게 혐오감을 느끼게 됐습니다.

Q 생전 히카루, 바뀐 히카루, 요시키가 좋아하는 음악 장르가 궁금해요.

―생전 히카루는 일본 록이나 애니 주제가를 자주 들었습니다.
바뀐 히카루는 어떤 곡이든 듣는데, 금방 가사에 감동합니다.
요시키는 가사가 없는 어두운 분위기의 곡을 좋아하여, 방에서 혼자 자주 듣습니다.

Q 히카루가 카오루에게 어떤 감정을 가지고 있는지 궁금해요!
2권의 여름 축제 때, 히카루가 앞에서 손을 잡아 이끌고,
오빠인 요시키와도 손을 잡은 카오루의 모습이 보기 좋았어요.

　—생전의 히카루에게 카오루는 친동생 같은 존재라 늘 신경을 썼습니다.
요시키만큼 배려하진 못했지만, 히카루의 무의식적인 행동이 카오루를 돕기도 했습니다.
여름 축제 때는 그런 생전 히카루의 행동이 바뀐 히카루에게도 나타났습니다.
바뀐 뒤로는「친동생처럼 소중한 존재」라고 입력된 것 같은 상태라서,
카오루가 보기에는 어딘가 차갑게 보일지도 모릅니다.

Q 히카루가 가진 생전 히카루의 기억은 그때 히카루가 느꼈던 오감 전체가 담겨 있나요?
냄새나 소리 등, 당시 히카루가 느꼈던 감정 전체가
「히카루의 기억」으로 남아 있는 느낌인가요?

　—네. 하지만 히카루에게는「히카루의 기억」이 담긴 두꺼운 사전이
갑자기 머리에 주입된 감각이라서, 똑같은 일을 경험해도 새롭게 느낍니다.

Q 선생님이 지금까지 그리신 일러스트 등을 보면서
히카루는 추위를 안 느낀다고 생각했는데, 더위는 어떤가요?
작중에서 「흐아~ 덥다~」라고 말하거나 선풍기 바람을 맞는 걸 보면
추위보다는 느끼는 것 같은데…….

—「죽음에 대한 본능적인 공포」가 없기에 더위도 추위도 그저 즐겁게 느낍니다.
통각도 둔해서 추위로 손발이 곱아들어도 신경 쓰지 않고,
햇빛에 살이 심하게 타도 금방 회복됩니다.

Q 노동 고양이 마스코트는 머리카락이 자란 고양이 말고도 종류가 더 있나요?
더 있다면, 어떤 고양이가 가장 인기 있나요?

—「보이콧 고양이」, 「지배인 고양이」 등이 있습니다. 주인공인 「노동 고양이」가
가장 베이직하며 여고생 사이에서 폭발적인 인기를 자랑하고 있습니다.

Q 요시키, 히카루, 아사코, 유우키, 마키의 지능 랭킹이 궁금해요!

—요시키→아사코→유우키→마키=히카루순으로 머리가 좋습니다.
참고로 생전 히카루와 바뀐 히카루의 성적은 비슷한데,
생전 히카루가 공부를 싫어했던 반면, 바뀐 히카루는 공부를 즐거워합니다.
다만 수업 내용은 잘 이해하지 못합니다.

Q 요시키와 친구들 중에서 누가 가장 그림을 잘 그리고 못 그리나요?

—가장 잘 그리는 아이는 아사코입니다.
마키도 애니메이션 모사하는 걸 좋아해서 의외로 잘 그립니다.
유우키는 잘 그리진 못하지만 개성적인 그림을 그립니다.
요시키는 잘 관찰해서 묘사하지만 균형을 잘 못 맞춥니다.
히카루는 생전이나 지금이나 제일 못 그립니다.

Q 쿠레바야시 씨는 언제부터 부정함을 저세상으로 돌려보내게 되었나요?

―어릴 때부터 부정함을 봤지만, 고등학생 때
처음으로 부정함을 저쪽으로 돌려보냈습니다.
그때 난리가 났었기에 이후로는 힘을 숨기고 살아왔으나,
무심코 남을 돕는지라 소문이 퍼져서 본인은 조금 곤란해하고 있습니다.

Q 모쿠모쿠렌 선생님은 작업하실 때 아날로그로 하시나요?
디지털로 하시나요?

―전부 디지털로 그리고 있습니다.

후기

5권도 읽어 주셔서 감사합니다.
「히카루가 죽은 여름」은 처음에 대강 3부로
구성해 뒀습니다.
1~3권이 「일상편」, 4~5권이 「풀이편」,
그리고 6권부터 새로운 파트에 들어갈 예정입니다.
아직 좀 더 이어지니 앞으로도 잘 부탁드립니다!

어시스턴트
노무 님
항상 고마워요!

「두 사람의 헤어커트 방식을 맞바꾸면 어떻게 되는가」라는
질문이 있었기에 바꿔 봤습니다.

학생들한테
부탁이 있어요.

다음 권 예고

두 사람 앞에
나타난 타나카.
그가 불러일으킬
파장은 과연─.

히카루가 죽은 여름

6권에 계속

히카루가 죽은 여름 5

초판 1쇄 발행 2025년 3월 20일

작가_ Mokumokuren
옮긴이_ 송재희

발행인_ 최원영
본부장_ 장혜경
편집장_ 김승신
편집진행_ 권세라 · 최혁수 · 김경민 · 최정민
커버디자인_ 양우연
내지디자인_ CMY그래픽
국제업무_ 박진해 · 조은지 · 남궁명일
관리 · 영업_ 김민원 · 조은걸

펴낸곳_ (주)디앤씨미디어
등록_ 2002년 4월 25일 제20-260호
주소_ 서울시 구로구 디지털로 32길 30, 코오롱디지털타워빌란트 1301-1308호
전화_ 02-333-2513(대표)
팩시밀리_ 02-333-2514
이메일_ lnovellove@naver.com
ㄴ노벨 공식 카페_ http://cafe.naver.com/lnovel11

HIKARU GA SHINDA NATSU Vol.5
©Mokumokuren 2024
First published in Japan in 2024 by KADOKAWA CORPORATION, Tokyo.
Korean translation rights arranged with KADOKAWA CORPORATION, Tokyo.

ISBN 979-11-278-8118-4 07830
ISBN 979-11-278-6778-2 (세트)

값 6,500원

©Akinoko/SQUARE ENIX CO., LTD.

옆자리 고양이와 순수남 1권

아키노코 만화 | 송재희 옮김

고등학교 1학년인 세노 미나토는,
신학기가 시작되자마자 담임 교사로부터
옆자리에서 항상 자는 네코자네를 신경 써 달라는 부탁을 받는다.

낯가림이 매우 심하고 성격이 내성적인 세노….
대화는커녕 얼굴조차 본 적 없는 네코자네를 용기를 내 깨우려고 하자,
그녀로부터 갑작스럽게 포옹을 당하고—?!

**내성적인 소년과 고양이 같은 소녀의
누구보다 순수한 둘의 이야기.**

석신전기 1~3권

코히나타 이로하 지음 | 김성래 옮김

선왕이 죽은 이후 혼란이 이어지던 섬나라, 히와츠 국.
그곳의 북동부, 미즈호 지역 영주의 동생 · 우카노 이사자는
형인 영주 · 사쿠의 혼례일에
옛날이야기 속 존재로 알려졌던
「돌의 주민」인 여인과 마주치고
모종의 계약을 요구당하는데…?

일본풍 전기 낭만극, 개막!